"VAN GOOL"

My French - English
Wordbook

500 words French / English

Dans la prairie

Pendant que sa maman déguste l'herbe tendre, Bambi gambade dans le pré. Il découvre un papillon et, comme il ressemble à une fleur, Bambi est tout étonné de le voir s'envoler.

In the meadow

While his mother is eating, Bambi plays in the meadow. He thinks he has found a pretty flower, but it is a butterfly! Bambi is very surprised when the flower flies away!

la pie

magpie

l'hirondelle

swallow

le merle

blackbird

l'herbe

grass

le trèfle

clover

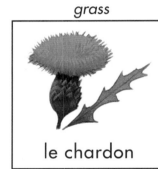

le chardon

thistle

l'escargot

snail

la libellule

dragonfly

le ver de terre

worm

le moustique

mosquito

la guêpe

wasp

la fourmi

ant

la coccinelle

ladybird

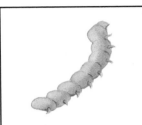

la chenille

caterpillar

le papillon

butterfly

la sauterelle

grasshopper

le rat des champs

field mouse

la tortue

tortoise

la taupe

mole

le crapaud

toad

À la ferme

Jack et sa mère travaillent dur à la ferme. Mais ils sont très pauvres. Heureusement, Jack va échanger leur maigre vache contre des graines de haricot géant et la fortune leur sourira !

On the farm

Jack and his mother are very poor. Jack goes to town to sell their cow, but instead he brings back some magic beans. Soon Jack and his mother are rich !

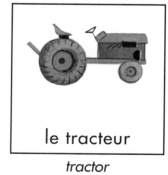

le tracteur

tractor

la charrue

plough

la moissonneuse-batteuse

combine harvester

la charrette

cart

la meule de foin
haystack

l'épi de maïs
corncob

l'épi de blé
wheat

la faux
scythe

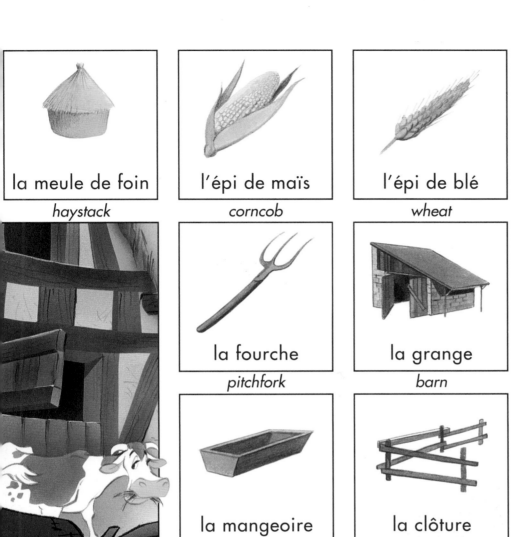

la fourche
pitchfork

la grange
barn

l'échelle
ladder

la mangeoire
trough

la clôture
fence

le puits
well

le tonneau
barrel

la haie
hedge

l'épouvantail
scarecrow

le nichoir
birdhouse

Jack sera fermier
plus tard,
comme
son papa !

Les animaux de la ferme

Le Vilain Petit Canard n'a pas de chance. Ses frères ne l'aiment pas et tous les animaux de la ferme se moquent de lui. Il ne lui reste plus qu'à s'en aller vivre sa vie. Et là, tout s'arrangera !

Farm animals

Poor little Ugly Duckling! His brothers and sisters do not like him, and all the farm animals make fun of him. He runs away from the farm to find his real family.

le taureau

bull

la vache

cow

le veau

calf

le cochon

pig

le mouton

sheep

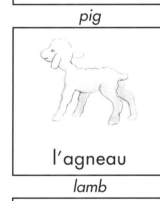

l'agneau

lamb

la chèvre

goat

l'âne

donkey

le cheval

horse

le poulain

foal

le lapin

rabbit

le chat

cat

le chien

dog

le dindon

turkey

le cygne

swan

le canard

duck

le caneton

duckling

l'oie

goose

le coq

rooster

la poule

hen

le poussin

chick

les abeilles

bees

Une promenade en fôret

Pour apporter à sa grand-mère un pot de beurre et une galette,
le Petit Chaperon rouge doit traverser la forêt.
Elle est ravie de cette délicieuse promenade.

Walking through the forest

Little Red Riding Hood is bringing some food to her grandmother.
Grandmother's cottage is on the other side of a dark forest.
Little Red Riding Hood always enjoys the walk.

l'arbre

tree

le buisson

bush

la feuille

leaf

la souche

stump

la branche	**le nid**	**le champignon**	**la mousse**
branch	*nest*	*mushroom*	*moss*
	la fougère	**l'ortie**	**la noisette**
	fern	*nettle*	*hazelnut*
	la noix	**le gland**	**la châtaigne**
	walnut	*acorn*	*chestnut*
	la hache	**le houx**	**le gui**
	axe	*holly*	*mistletoe*

la scie

saw

la tronçonneuse

chain saw

Dans le sous-bois, le Petit Chaperon rouge cueille un joli bouquet de fleurs.

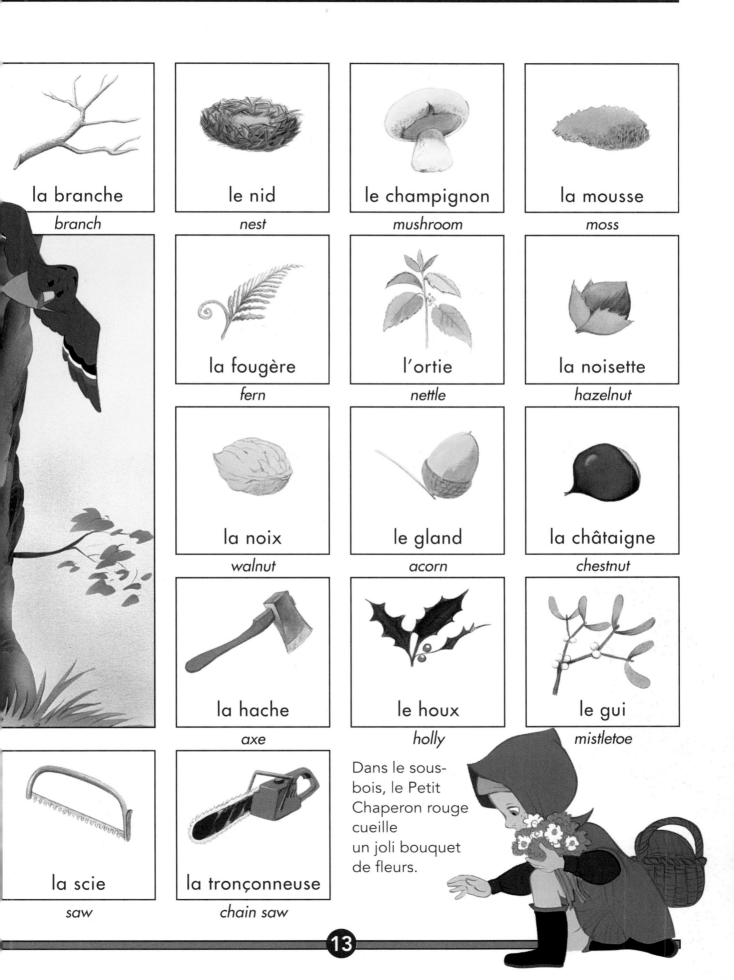

Les animaux de la forêt

Blanche-Neige s'est enfuie pour échapper à la méchante reine.
Quand ils la voient perdue, les animaux de la forêt
viennent l'aider et la conduisent à la maison des Sept Nains.

Forest animals

Snow White runs away because the wicked queen wants to harm her.
When the forest animals see that she is lost,
they lead Snow White to the dwarfs' cottage.

le cerf
stag

le sanglier
wild boar

l'ours
bear

le loup
wolf

le renard
fox

la martre
marten

le lièvre
hare

la belette
weasel

la loutre
otter

le blaireau
badger

le castor
beaver

l'écureuil

squirrel

le serpent

snake

le hibou

owl

le faisan

pheasant

le rouge-gorge

robin

la perdrix

partridge

le pivert

woodpecker

le martin-pêcheur

kingfisher

À la montagne

Pierre et son grand-père habitent une cabane au pied
de la montagne. Il fait très froid et le loup affamé ne va pas tarder
à sortir du bois pour… croquer le canard imprudent !

On the mountain

*Peter and his grandfather live in a cabin at the foot of the mountain.
One day the wolf comes out of the deep forest.
He is so hungry that he tries to eat the poor duck!*

la montagne

mountain

le sapin

fir tree

le chalet

chalet

le bonhomme de neige

snowman

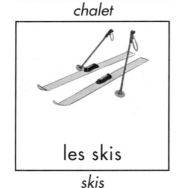

les skis

skis

la luge

sledge

le téléphérique

cable-car

le rocher

rock

la cascade

waterfall

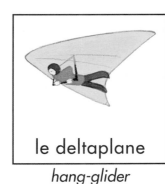

le deltaplane

hang-glider

la tente

tent

le sac de couchage

sleeping bag

les jumelles

binoculars

la gourde

flask

le sac à dos

rucksack

la corde

rope

le piolet

ice axe

le chamois

mountain goat

la marmotte

marmot

l'aigle

eagle

le lynx

lynx

À la plage

Après que son bateau s'est échoué, Gulliver a été rejeté sur la plage. Comme il est endormi, il ne s'aperçoit pas que les minuscules Lilliputiens l'ont fait prisonnier.

At the beach

Gulliver is shipwrecked, and he swims ashore to the beach. While he is asleep, the tiny Lilliputians tie him down and take him prisoner.

le parasol

beach umbrella

les lunettes de soleil

sunglasses

la chaise longue

deckchair

le palmier

palm tree

l'épuisette

fishing net

la pelle

spade

Gulliver a construit une barque pour retourner chez lui.

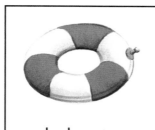

le seau de plage

bucket

le château de sable

sand castle

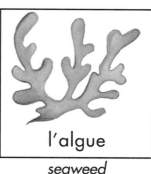

l'algue

seaweed

la bouée

rubber ring

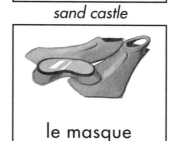

le masque et les palmes

swim mask and flippers

la planche de surf

surfboard

la planche à voile

windsurf board

le bateau pneumatique

dinghy

le hors-bord

speedboat

le voilier

sailboat

le bateau de pêche

fishing boat

le paquebot

ocean liner

l'île

island

Les animaux de la mer

La Petite Sirène et ses sœurs vivent au fond des mers
dans un lieu magnifique, entourées de toutes sortes de poissons
et d'animaux marins. Mais la Petite Sirène rêve au monde des hommes !

Sea creatures

The Little Mermaid and her sisters live at the bottom of the sea.
Her sisters like to play with the sea creatures, but the Little Mermaid sits
and dreams of the land above the waves.

la baleine
whale

le dauphin
dolphin

la raie
ray

l'espadon
swordfish

le requin
shark

la pieuvre
octopus

l'hippocampe
seahorse

la crevette
shrimp

l'oursin
sea urchin

le homard
lobster

la méduse
jellyfish

l'étoile de mer

starfish

le corail

coral

la mouette

seagull

l'albatros

albatross

l'huître

oyster

la coquille
Saint-Jacques

scallop

la moule

mussel

le crabe

crab

Le voyage

Au pays d'Aladdin, on voyage lentement à dos de chameau.
Mais Aladdin, lui, connaît un génie. Grâce à sa magie,
il se déplace plus vite que le vent !

Travelling

*In Aladdin's country, most people travel on camels
which move very slowly. But Aladdin knows a magic genie
who can carry him wherever he wants to go.*

la voiture

car

le camion

truck

la moto

motorbike

l'avion

airplane

le train

train

la locomotive

engine

le wagon

passenger car

le bateau de marchandises

freighter

l'hélicoptère

helicopter

le panneau

road sign

la caravane

camper

la valise

suitcase

la remorque

trailer

le sac de voyage

travelling bag

la pompe à essence

gas pump

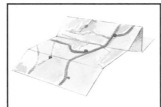

la carte routière

road map

l'appareil photo

camera

la caméra video

video camera

À la ville

Ali Baba guide un vieil aveugle à travers les rues de la ville.
Il ne se doute pas que les quarante voleurs le guettent
pour reprendre leur trésor.

In the city

Ali Baba is helping a blind man to cross the road.
*The man tells Ali Baba that the forty thieves know he has
stolen their treasure!*

la maison
house

l'immeuble
building

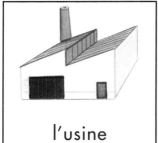

l'usine
factory

le magasin
shop

le trottoir
pavement

le feu
de signalisation
traffic lights

le passage piéton
pedestrian crossing

l'arrêt de bus
bus stop

le bus
bus

le tramway
streetcar

le taxi
taxi

l'ambulance
ambulance

le camion de pompiers
fire truck

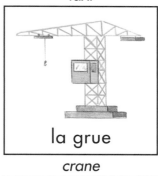

la grue
crane

le parcmètre
parking meter

la cabine téléphonique
telephone booth

la boîte aux lettres
mailbox

le banc
bench

l'affiche
poster

le pont
bridge

le réverbère
street lamp

le balcon
balcony

la cheminée
chimney

l'antenne de télévision
television aerial

La danse et la musique

Cendrillon danse dans les bras de son prince.
Mais attention, minuit va sonner, il va falloir rentrer.
Sinon, adieu joli carrosse, et bonjour citrouille !

Dance and music

*Cinderella is dancing with the handsome Prince.
Suddenly the clock strikes midnight! Cinderella must hurry home
before her beautiful carriage turns back into a pumpkin!*

le justaucorps

leotard

les chaussons
de danse

ballet shoes

le piano

piano

le violon

violin

la flûte
flute

l'harmonica
harmonica

les maracas
maracas

le tambour
drum

le xylophone
xylophone

la harpe
harp

le violoncelle
cello

l'accordéon
accordion

la clarinette
clarinet

la guitare
guitar

les cymbales
cymbals

le triangle
triangle

Dans sa hâte,
Cendrillon a perdu
sa pantoufle de verre.

le pupitre
music stand

la partition
score

la batterie
drums

la guitare électrique
electric guitar

le lecteur de cassettes
cassette player

le lecteur de CD
CD player

À l'école

Pinocchio est un gentil pantin. Mais quand, sur son chemin,
il rencontre des coquins, il oublie d'aller à l'école. Heureusement,
la Fée bleue veille sur lui et il finira par devenir sage et travailleur.

At school

*Pinocchio is a little puppet. Sometimes he gets into trouble when
he doesn't go to school. Luckily, the Blue Fairy is watching over him,
and helps him to be good.*

le cartable	le livre	le cahier	le classeur
schoolbag	*book*	*exercise book*	*binder*

la trousse	le crayon noir	la gomme	les crayons de couleur
pencil case	*pencil*	*rubber*	*colouring pencils*

le dessin	le taille-crayon	le stylo à encre	les feutres
drawing	*pencil sharpener*	*fountain pen*	*felt-tip pens*

la feuille de papier	la règle
sheet of paper	*ruler*

le tableau noir

blackboard

la craie

chalk

les ciseaux

scissors

la colle

glue

le ruban adhésif

adhesive tape

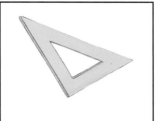

l'équerre

set square

le compas

compass

la calculatrice

calculator

Les jeux et les jouets

Drôle de jeu au Pays des merveilles ! Alice fait une partie de croquet avec des cartes en guise d'arceaux et un flamant rose pour maillet. Quant à la balle… c'est un hérisson !

Toys and games

Alice has great fun in Wonderland! She often plays croquet with a flamingo as a mallet and playing cards as hoops. And look - the ball is a hedgehog!

la poupée

doll

les cubes

building blocks

le ballon

ball

le tricycle

tricycle

la toupie
spinning top

les billes
marbles

la corde à sauter
skipping rope

**les patins
à roulettes**
roller skates

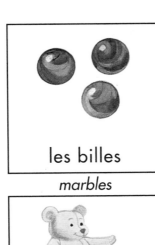
l'ours en peluche
teddy bear

la dînette
doll's tea set

**la voiture
téléguidée**
remote-controlled car

le vélo
bicycle

la marionnette
puppet

**le cheval
à bascule**
rocking horse

le train électrique
electric train

la balle de tennis
tennis ball

la raquette
racquet

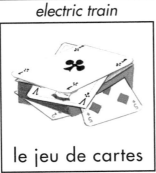
le déguisement
disguise

le jeu de cartes
playing cards

le puzzle
jigsaw puzzle

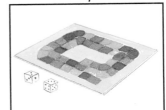
le jeu de société
board game

Les vêtements

L'empereur a plein de beaux vêtements. Mais ils ne lui plaisent plus. Alors deux tisserands malins en profitent. Contre beaucoup d'or, ils lui fabriquent un habit… totalement invisible !

Clothes

The Emperor is bored with all his clothes. When two villains say they will make him a wonderful new suit, he gives them lots of money. But they have tricked him!

la robe

dress

le pantalon

trousers

le chandail

sweater

la chemise

shirt

la jupe

skirt

la salopette

dungarees

le gilet

cardigan

le jean

jeans

la veste

jacket

le blouson

jacket

l'imperméable

raincoat

le manteau

coat

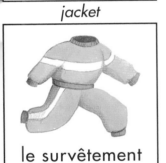

le survêtement

tracksuit

le short

shorts

le maillot de corps

vest

L'empereur croit porter un bel habit !

le tee-shirt

T-shirt

la culotte

underpants

le caleçon

boxer shorts

les chaussettes

socks

le collant

tights

Les accessoires

Avec ses bottes et son grand chapeau, le Chat botté inspire confiance
au roi et à la princesse. Il fait passer son maître le meunier
pour un vrai marquis et l'aide à faire fortune.

Accessories

*The miller's son is very poor. His cat, Puss in Boots, goes to
visit the palace. He looks so smart in his hat and boots
that the King believes his master is a Marquis!*

l'écharpe

scarf

les moufles

mittens

les gants

gloves

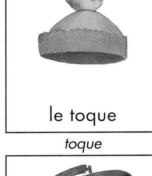

le toque

toque

le chapeau

hat

la casquette

cap

la cravate

tie

le nœud papillon

bow tie

Le Chat dit au meunier :
« Ayez confiance, mon maître.
Bientôt vous serez riche ! »

les bretelles

suspenders

la ceinture

belt

les chaussures

shoes

les espadrilles

running shoes

les sandales

sandals

les escarpins

flat-heeled shoes

le sac à main

handbag

le portemonnaie

purse

le parapluie

umbrella

les bottes

boots

La chambre

Pauvre princesse, elle passe une très mauvaise nuit. On a beau entasser les matelas, rien n'y fait. Quelque chose la blesse.
Et, oh surprise ! Ce n'est rien qu'un petit pois !

In the bedroom

The poor Princess cannot sleep at all,
because there is a lump in her bed. The next morning
she is very surprised to find the lump is just a little pea!

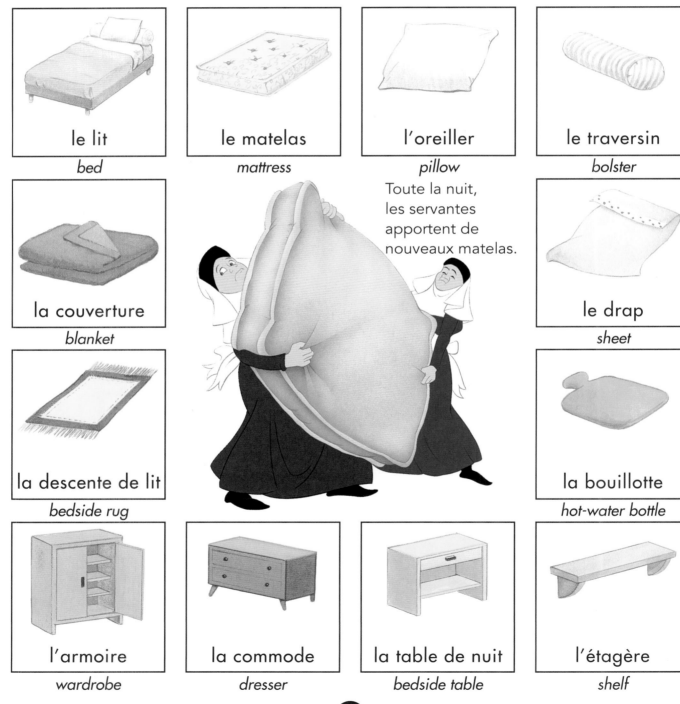

le lit
bed

le matelas
mattress

l'oreiller
pillow

le traversin
bolster

la couverture
blanket

Toute la nuit, les servantes apportent de nouveaux matelas.

le drap
sheet

la descente de lit
bedside rug

la bouillotte
hot-water bottle

l'armoire
wardrobe

la commode
dresser

la table de nuit
bedside table

l'étagère
shelf

la lampe
de chevet

bedside lamp

le réveil

alarm clock

le cadre photo

picture frame

le miroir

mirror

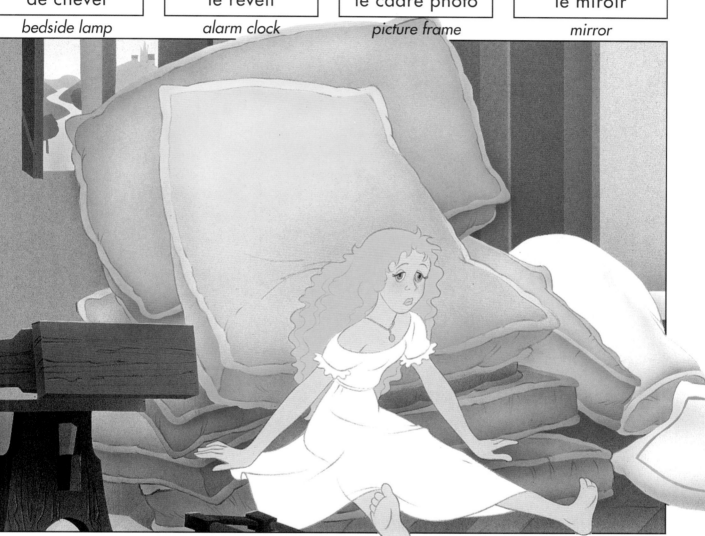

la chemise
de nuit

nightdress

le pyjama

pyjamas

la robe
de chambre

dressing-gown

les pantoufles

slippers

Au salon

Boucle d'Or est entrée dans la maison des Trois Ours et elle a tout visité, tout essayé. Même les fauteuils du salon… en sautant dessus pour voir lequel rebondit le plus.

In the sitting room

Goldilocks is looking around the Three Bears'cottage. In the sitting room she jumps on all the chairs to see which is the most comfortable.

le canapé

sofa

la table basse

coffee table

le fauteuil

armchair

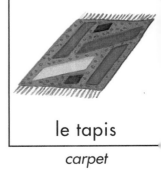

le tapis

carpet

le coussin

cushion

le lampadaire

lamp

la télévision

television set

la bibliothèque

bookcase

**la corbeille
à papier**

wastepaper basket

le téléphone

telephone

la plante verte

potted plant

le tableau

picture

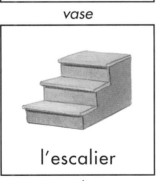

le vase

vase

la chaîne stéréo

stereo

la cheminée

fireplace

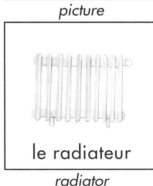

le radiateur

radiator

l'escalier

stairs

les rideaux

curtains

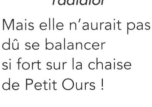

la fenêtre

window

Mais elle n'aurait pas
dû se balancer
si fort sur la chaise
de Petit Ours !

les volets

shutters

la porte

door

Dans la salle à manger

La Belle a mis les robes et les bijoux que la Bête lui a offerts.
Dans la salle à manger, un merveilleux dîner l'attend. Mais quand la Bête
arrive pour partager son repas, la Belle n'est pas rassurée.

In the dining room

*When Beauty goes down to dinner, there is a lovely meal
waiting for her but suddenly the Beast comes in. He is so ugly
that Beauty is very frightened.*

la chaise	la table	la nappe	la serviette de table
chair	*table*	*tablecloth*	*napkin*

la fourchette	le couteau	la cuillère
fork	*knife*	*spoon*

Un serviteur ailé conduit la Belle à une table
somptueusement arrangée : « Mon maître ne va pas
tarder, asseyez-vous, s'il vous plaît ! »

l'assiette

plate

le verre

glass

la carafe

carafe

la bouteille

bottle

le plat

dish

la soupière

tureen

la corbeille à pain

breadbasket

la salière

salt shaker

la poivrière

pepper shaker

la table roulante

cart

le buffet

buffet

Dans la salle de bains

« Prendre un bain dans une rivière, c'est moins confortable
que dans une salle de bains », pense le meunier ! Mais le Chat botté
lui a dit d'attendre là le carrosse du roi, et il n'ose pas bouger.

In the bathroom

*The miller's son is shivering. "The river's much colder
than my bath!" he thinks but he stays in the water because
Puss in Boots has told him to wait for the King's carriage.*

la baignoire

bathtub

le tapis de bain

bathmat

la douche

shower

la serviette
de bain

bath towel

le gant de toilette

bath mitt

le savon

soap

le shampooing

shampoo

l'évier

sink

les toilettes

toilet

le pèse-personne

bathroom scales

«Au secours, crie le Chat botté, mon
maître le marquis de Carabas se noie !»
A ces mots, le roi arrête son carrosse
et y fait monter le meunier. Et comme
la princesse trouve le jeune homme
à son goût, ils se marieront !

la brosse à dents	le tube de dentifrice	le séchoir à cheveux	la brosse à cheveux
toothbrush	*toothpaste*	*hairdryer*	*hair brush*

le peigne	le rasoir électrique	la trousse de toilette	l'atomiseur de parfum
comb	*electric razor*	*toiletries bag*	*perfume*

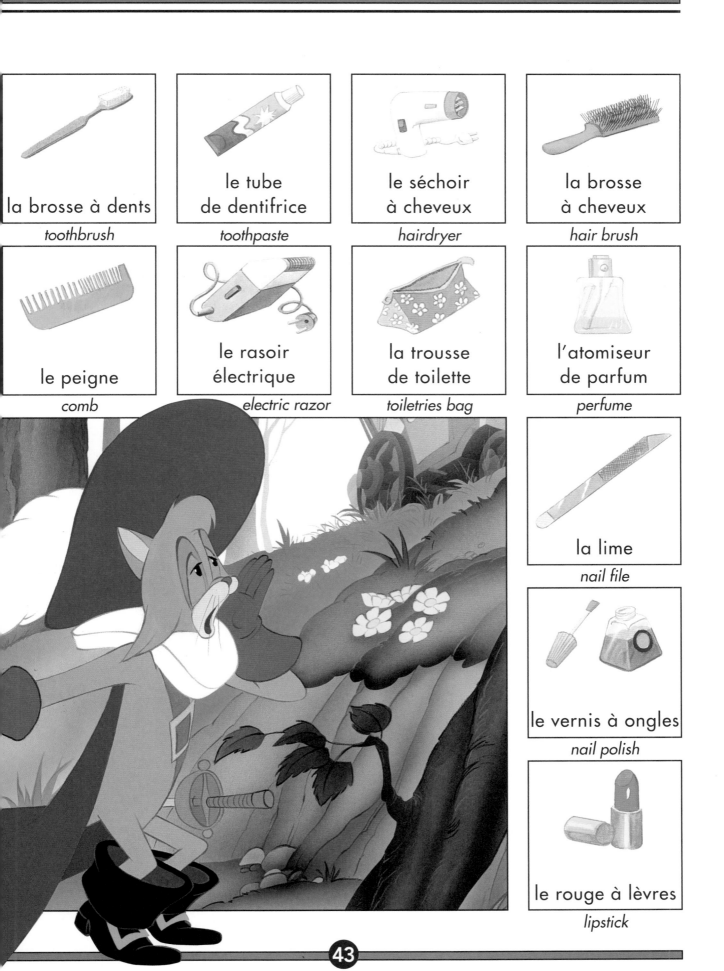

la lime

nail file

le vernis à ongles

nail polish

le rouge à lèvres

lipstick

Dans la cuisine

Arrivé en haut du haricot géant, Jack, affamé, a frappé à la porte du château de l'ogre. Une femme lui a ouvert et l'a emmené dans sa cuisine. Il a vite mangé avant que l'ogre revienne...

In the kitchen

At the top of the beanstalk, Jack has found a huge castle. He knocks on the door, and a kind woman leads him to the kitchen. He has to eat quickly, because the giant will be home soon!

la cuisinière

stove

le four

oven

le réfrigérateur

fridge

le lave-vaisselle

dishwasher

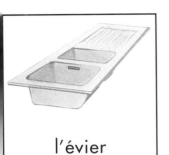

l'évier

sink

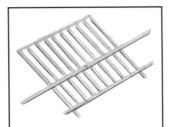

l'égouttoir

plate rack

la casserole

saucepan

la poêle

frying pan

l'autocuiseur

pressure cooker

la bouilloire

kettle

**le moule
à gâteau**

cake tin

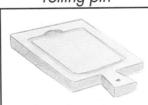

**le rouleau
à pâtisserie**

rolling pin

L'ogre possède une
poule aux œufs d'or
volée au père de Jack.

le mixeur

mixer

**la planche
à découper**

chopping board

le tire-bouchon

corkscrew

l'ouvre-boîtes

can-opener

la louche

ladle

la passoire

colander

la poubelle

garbage can

le tabouret

stool

Le ménage

Pauvre Cendrillon ! Alors que ses sœurs se préparent
pour le bal du prince, elle fait le ménage de toute la maison
et recoud les ourlets de leurs belles robes.

Doing the housework

*Poor Cinderella! While her sisters are getting ready
for the palace ball, she has to clean the house. They make
her mend their dresses and fetch and carry for them.*

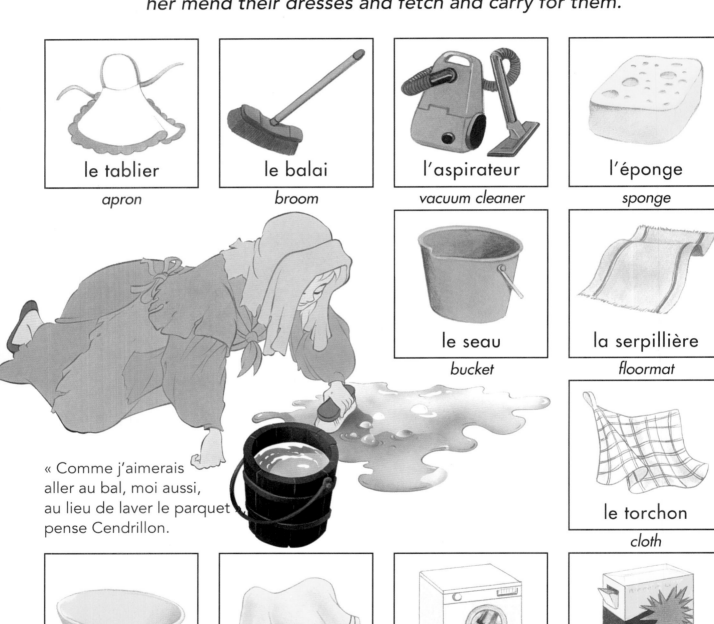

le tablier
apron

le balai
broom

l'aspirateur
vacuum cleaner

l'éponge
sponge

le seau
bucket

la serpillière
floormat

le torchon
cloth

« Comme j'aimerais
aller au bal, moi aussi,
au lieu de laver le parquet,
pense Cendrillon.

la cuvette
plastic bowl

le chiffon
duster

le lave-linge
washing machine

la lessive
washing powder

la planche
à repasser
ironing board

le fer à repasser
iron

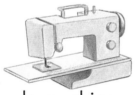

l'escabeau
stepladder

la machine
à coudre
sewing machine

la bobine de fil
spool of thread

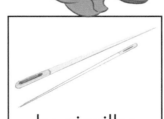

les aiguilles
à coudre
sewing needles

le dé à coudre
thimble

les boutons
buttons

le mètre à ruban
tape measure

les aiguilles
à tricoter
knitting needles

la pelote de laine
ball of wool

Le petit déjeuner

L'aîné des Trois Petits Cochons a fini sa maison de brique.
Pour fêter ça, il a invité ses frères à prendre le petit déjeuner. Mais il leur coupe l'appétit en leur disant de se méfier du loup.

At breakfast

The Three Little Pigs have finished building their houses.
The eldest little pig invites his brothers over for breakfast. While they are eating, he tells them both to look out for the wolf.

le bol
bowl

la tasse
cup

la soucoupe
saucer

le grille-pain
toaster

la cafetière électrique
coffee-maker

la théière
teapot

le sachet de thé
tea bag

le presse-fruits

juicer

jus de fruit

fruit juice

le pain

bread

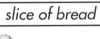

la tartine

slice of bread

le croissant

croissant

le lait

milk

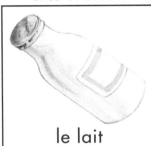

le beurre

butter

le pot de confiture

jam jar

le pot de miel

honeypot

les céréales

cereal

le plateau

tray

le sucrier

sugar bowl

Le repas

Pinocchio ne devrait pas suivre les deux coquins
qu'il a rencontrés dans la rue. Mais comme ils lui proposent
de faire un bon repas, il ne résiste pas.

At dinner

*In town, Pinocchio meets two villains. "School is boring,"
they tell him. "Why don't you come for a meal with us instead?"
So Pinocchio goes with them to the inn.*

le bifteck

steak

les frites

French fries

la purée

mashed potato

**la tranche
de jambon**

slice of ham

le riz

rice

le poulet rôti

roast chicken

le rôti de bœuf

beef roast

le spaghetti

spaghetti

l'œuf à la coque

boiled egg

la saucisse

sausage

la côtelette

chop

le poisson

fish

la pizza

pizza

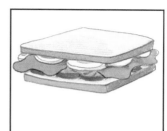

le sandwich

sandwich

la quiche

quiche

la brochette

kebab

le hamburger

hamburger

Et, naturellement, c'est Pinocchio qui paye les trois déjeuners. Il est bien fâché !

le fromage

cheese

la boîte de conserve

can

l'huile et le vinaigre

oil and vinegar

le ketchup

ketchup

Les bonbons et les desserts

Hansel et Gretel trouvent une maison faite de bonbons
et de gâteaux. Une vieille femme les invite à goûter. Ils acceptent,
sans se douter qu'il s'agit en fait d'une affreuse sorcière.

Sweets and desserts

Hansel and Gretel have found a house made of sweets and cakes.
An old woman invites them inside for a meal. The children agree,
but they do not know that she is a wicked witch!

les bonbons

candies

la popsicle

popsicle

la tablette de
chocolat

chocolate bar

le pop-corn

popcorn

la pomme
d'amour

toffee apple

la guimauve

marshmallow

le chewing-gum

chewing gum

la réglisse

licorice

la crêpe

pancake

la gaufre

waffle

la glace

ice cream

le beignet

doughnut

le milk-shake

milk shake

le biscuit

cookie

la tarte

pie

le gâteau
d'anniversaire

birthday cake

les petit fours

cupcake

la salade
de fruits

fruit salad

le yaourt

yogurt

Les fruits

En frottant la lampe merveilleuse, Aladdin fait apparaître un génie.
« Ordonne, maître, j'obéirai », dit celui-ci. Comme Aladdin
a très faim, il lui commande d'apporter tous les fruits de la terre.

Fruit

To call the genie, all Aladdin has to do is rub the magic lamp.
"Your wish is my command, master," says the genie. Aladdin asks
the genie to bring him fruit from all over the world.

la pomme	la poire	la banane	l'orange
apple	*pear*	*banana*	*orange*

les raisins

grapes

l'ananas

pineapple

la pêche

peach

la fraise

strawberry

les framboises

raspberries

l'abricot

apricot

la mandarine

tangerine

le citron

lemon

le pamplemousse

grapefruit

le melon

melon

la prune

plum

les groseilles

red currant

les cerises

cherries

la noix de coco

coconut

la figue

fig

Aladdin et sa mère,
émerveillés, voient
apparaître soudain
des corbeilles de fruits
bien garnies.

Les légumes

Les parents des Trois Petits Cochons sont fermiers
et ils cultivent des légumes. Comme le printemps est arrivé,
bientôt les tomates et les carottes vont pousser.

Vegetables

*The Three Little Pigs' parents are farmers, and they grow vegetables.
They work very hard, and all the year round
they have lots of fresh food to eat.*

la tomate

tomato

la carotte

carrot

les haricots verts

green beans

le poireau

leek

la pomme de
terre

potato

la salade

lettuce

les champignons

mushrooms

les radis

radishes

les petits pois

peas

le chou

cabbage

le concombre

cucumber

Les Trois Petits Cochons reviennent souvent voir leurs parents pour déguster une bonne salade.

les épinards

spinach

les asperges

asparagus

l'avocat

avocado

le poivron

pepper

le chou-fleur

cauliflower

l'aubergine

eggplant

l'oignon

onion

l'artichaut

artichoke

la citrouille

pumpkin

Dans le jardin

Une hirondelle a emporté Poucette dans un jardin
merveilleux. Là, Poucette rencontre
le roi des Fleurs, qui lui demande de l'épouser.

In the garden

A swallow has carried Thumbelina to a beautiful garden.
Here she meets the King of the Flowers,
who asks her to marry him.

la rose
rose

la marguerite
daisy

le coquelicot
poppy

la jonquille
daffodil

le lilas
lilac

la tulipe
tulip

le tournesol
sunflower

le lys
lily

le géranium
geranium

le pissenlit
dandelion

la plate-bande
flower bed

le pot de fleurs
flowerpot

l'arrosoir

watering can

le tuyau
d'arrosage

garden hose

le sécateur

snippers

la brouette

wheelbarrow

la tondeuse

lawn mower

la pelle

spade

le râteau

rake

la serre

greenhouse

A
abeilles, 11
abricot, 55
accordéon, 27
affiche, 25
agneau, 10
aigle, 17
aiguilles à coudre, 47
aiguilles à tricoter, 47
albatros, 21
algue, 19
ambulance, 25
ananas, 55
âne, 10
antenne
 de télévision, 25
appareil photo, 23
arbre, 12
armoire, 36
arrêt de bus, 25
arrosoir, 59
artichaut, 57
asperges, 57
aspirateur, 46
assiette, 41
atomiseur
 de parfum, 43
aubergine, 57
autocuiseur, 45
avion, 22
avocat, 57

B
baignoire, 42
balai, 46
balcon, 25
baleine, 20
balle de tennis, 31
ballon, 30
banane, 54
banc, 25
bateau
 de marchandises, 23
bateau de pêche, 19
bateau
 pneumatique, 19
batterie, 27
beignet, 53
belette, 14
beurre, 49
bibliothèque, 39
bifteck, 50
billes, 31
biscuit, 53
blaireau, 14
blouson, 33
bobine de fil, 47
boîte aux lettres, 25
boîte de conserve, 51
bol, 48
bonbons, 52
bonhomme
 de neige, 16
bottes, 35
bouée, 19
bouilloire, 45
bouillotte, 36
bouteille, 41

boutons, 47
branche, 13
bretelles, 34
brochette, 51
brosse à cheveux, 43
brosse à dents, 43
brouette, 59
buffet, 41
buisson, 12
bus, 25

C
cabine
 téléphonique, 25
cadre photo, 37
cafetière
 électrique, 48
cahier, 28
calculatrice, 29
caleçon, 33
caméra vidéo, 23
camion, 22
camion
 de pompiers, 25
canapé, 38
canard, 11
caneton, 11
carafe, 41
caravane, 23
carotte, 56
cartable, 28
carte routière, 23
cascade, 16
casquette, 34
casserole, 45
castor, 14
ceinture, 34
céréales, 49
cerf, 14
cerises, 55
chaîne stéréo, 39
chaise, 40
chaise longue, 18
chalet, 16
chamois, 17
champignon, 13, 56
chandail, 32
chapeau, 34
chardon, 6
charrette, 8
charrue, 8
chat, 11
châtaigne, 13
château de sable, 19
chaussettes, 33
chaussons de danse, 26
chaussures, 35
cheminée, 25, 39
chemise, 32
chemise de nuit, 37
chenille, 7
cheval, 10
cheval à bascule, 31
chèvre, 10
chewing-gum, 53
chien, 11
chiffon, 46
chou, 57

chou-fleur, 57
ciseaux, 9
citron, 55
citrouille, 57
clarinette, 27
classeur, 28
clôture, 9
coccinelle, 7
cochon, 10
colle, 29
collant, 33
commode, 36
compas, 29
concombre, 57
coq, 11
coquelicot, 58
coquille
 Saint-Jacques, 21
corail, 21
corbeille à pain, 41
corbeille
 à papier, 39
corde, 17
corde à sauter, 31
côtelette, 51
coussin, 39
couteau, 40
couverture, 36
crabe, 21
craie, 29
crapaud, 7
cravate, 34
crayon noir, 28
crayons
 de couleur, 28
crêpe, 53
crevette, 20
croissant, 49
cubes, 30
cuillère, 40
cuisinière, 44
culotte, 33
cuvette, 46
cygne, 11
cymbales, 27

D
dauphin, 20
dé à coudre, 47
déguisement, 11
deltaplane, 16
descente de lit, 36
dessin, 28
dindon, 11
dînette, 31
douche, 42
drap, 36

E
écharpe, 34
échelle, 9
écureuil, 15
égouttoir, 45
épi de blé, 9
épi de maïs, 9
épinards, 57
éponge, 46
épouvantail, 9

épuisette, 19
équerre, 29
escabeau, 47
escalier, 39
escargot, 6
escarpins, 35
espadon, 20
espadrilles, 35
étagère, 36
étoile de mer, 21
évier, 42, 45

F
faisan, 15
fauteuil, 38
faux, 9
fenêtre, 39
fer à repasser, 47
feu de
 signalisation, 24
feuille, 12
feuille de papier, 28
feutres, 28
figue, 55
flûte, 27
fougère, 13
four, 44
fourche, 9
fourchette, 40
fourmi, 6
fraise, 55
framboises, 55
frites, 50
fromage, 51

G
gant de toilette, 42
gants, 34
gâteau
 d'anniversaire, 53
gaufre, 53
géranium, 58
gilet, 33
glace, 53
gland, 13
gomme, 28
gourde, 17
grange, 9
grille-pain, 48
groseilles, 55
grue, 25
guêpe, 6
gui, 13
guimauve, 53
guitare, 27
guitare électrique, 27

H
hache, 13
haie, 9
hamburger, 51
haricots verts, 56
harmonica, 27
harpe, 27
hélicoptère, 23
herbe, 6
hibou, 15
hippocampe, 20

hirondelle, 6
homard, 20
hors-bord, 19
houx, 13
huile, 51
huître, 21

I
île, 19
immeuble, 24
imperméable, 33

J
jean, 33
jeu de cartes, 31
jeu de société, 31
jonquille, 58
jumelles, 17
jupe, 33
jus de fruit, 49
justaucorps, 26

K
ketchup, 51

L
lait, 49
laitue, 56
lampadaire, 39
lampe de chevet, 37
lapin, 11
lave-linge, 46
lave-vaisselle, 44
lecteur de
 cassettes, 27
lecteur de CD, 27
lessive, 46
libellule, 6
lièvre, 14
lilas, 58
lime, 43
lit, 36
livre, 28
locomotive, 23
louche, 45
loup, 14
loutre, 14
luge, 16
lunettes de soleil, 18
lynx, 17
lys, 58

M
machine à coudre, 47
magasin, 24
maillot de corps, 33
maison, 24
mandarine, 55
mangeoire, 9
manteau, 33
maracas, 27
marguerite, 58
marionnette, 31
marmotte, 17
martin-pêcheur, 15
martre, 14
masque, 19

matelas, 36
méduse, 20
melon, 55
merle, 6
mètre à ruban, 47
meule de foin, 9
milk-shake, 53
miroir, 37
mixeur, 45
moissonneuse-
 batteuse, 8
montagne, 6
moto, 22
mouette, 21
moufles, 34
moule, 21
moule à gâteau, 45
mousse, 13
moustique, 6
mouton, 10

N
nappe, 40
nichoir, 9
nid, 13
nœud papillon, 34
noisette, 13
noix, 13
noix de coco, 15

O
œuf à la coque, 50
oie, 11
oignon, 57
orange, 54
oreiller, 36
ortie, 13
ours, 14
ours en peluche, 31
oursin, 20

P
pain, 49
palmes, 19
palmier, 18
pamplemousse, 55
panneau, 23
pantalon, 32
pantoufles, 37
papillon, 7
paquebot, 19
parapluie, 35
parasol, 18
parcmètre, 25
partition, 27
passage piéton, 24
passoire, 45
patins à roulettes, 31
pêche, 55
peigne, 43
pelle, 19, 59
pelote de laine, 47
perdrix, 15
pèse-personne, 42
petits fours, 53
petits pois, 57
piano, 26
pie, 6

pieuvre, 20
piolet, 17
pissenlit, 58
pivert, 15
pizza, 51
planche
 à découper, 45
planche
 à repasser, 47
planche à voile, 19
planche de surf, 19
plante verte, 39
plat, 41
plate-bande, 58
plateau, 49
poêle, 45
poire, 54
poireau, 56
poisson, 51
poivrière, 41
poivron, 57
pomme, 54
pomme d'amour, 53
pomme de terre, 56
pompe à essence, 23
pont, 25
pop-corn, 52
popsicle, 52
porte, 39
porte-monnaie, 35
pot de confiture, 53
pot de fleurs, 58
pot de miel, 49
poubelle, 45
poulain, 10
poule, 11
poulet rôti, 50
poupée, 30
poussin, 11
presse-fruits, 49
prune, 55
puits, 9
pupitre, 27
purée, 50
puzzle, 31
pyjama, 37

Q
quiche, 51

R
radiateur, 39
radis, 57
raie, 20
raisins, 55
raquette, 31
rasoir électrique, 43
rat des champs, 7
râteau, 59
réfrigérateur, 44
règle, 28
réglisse, 53
remorque, 23
renard, 14
requin, 20
réveil, 37
réverbère, 25
rideaux, 39

riz, 50
robe, 32
robe de chambre, 37
rocher, 16
rose, 58
rôti de bœuf, 50
rouge à lèvres, 43
rouge-gorge, 15
rouleau
 à pâtisserie, 45
ruban adhésif, 29

S
sac à dos, 17
sac à main, 35
sac de couchage, 17
sac de voyage, 23
sachet de thé, 48
salade de fruits, 53
salière, 41
salopette, 33
sandales, 35
sandwich, 51
sanglier, 14
sapin, 16
saucisse, 50
sauterelle, 7
savon, 42
scie, 13
seau, 46
seau de plage, 19
sécateur, 59
séchoir à cheveux, 43
serpent, 15
serpillière, 46
serre, 59
serviette de bain, 42
serviette de table, 40
shampoing, 42
short, 33
skis, 16
souche, 12
soucoupe, 48
soupière, 41
spaghetti, 50
stylo à encre, 28
sucrier, 49
survêtement, 33

T
table, 40
table basse, 38
table de nuit, 36
table roulante, 41
tableau, 39
tableau noir, 29
tablette de
 chocolat, 52
tablier, 46
tabouret, 45
taille-crayon, 28
tambour, 27
tapis, 39
tapis de bain, 42
tarte, 53
tartine, 49
tasse, 48
taupe, 7

taureau, 10
taxi, 25
tee-shirt, 33
téléphérique
téléphone,
télévision, 3
tente, 17
théière, 4
tire-boucho
toilettes, 42
tomate, 56
tondeuse, 5
tonneau, 9
toque, 34
torchon, 46
tortue, 7
toupie, 31
tournesol, 5
tracteur, 8
train, 23
train électri
tramway, 25
tranche
 de jambon,
traversin, 3
trèfle, 6
triangle, 27
tricycle, 30
tronçonneus
trottoir, 24
trousse, 28
trousse de to
tube de dent
tulipe, 58
tuyau d'arros

U
usine, 24

V
vache, 10
valise, 23
vase, 39
veau, 10
vélo, 31
ver de terre,
vernis à ong
verre, 41
veste, 33
vinaigre, 51
violon, 26
violoncelle, 2
voilier, 19
voiture, 22
voiture
 téléguidée,
volets, 39

W
wagon, 23

X
xylophone, 2

Y
yaourt, 53

dion, 27
, 13
sive tape, 29
ne, 22
clock, 37
ross, 21
lance, 25

, 54
ot, 55
, 46
hair, 38
oke, 57
agus, 57
do, 57
3

er, 14
ny, 25
30
f wool, 47
shoes, 26
ha, 54
9
l, 9
mitt, 42
towel, 42
at, 42
oom scales, 42
ub, 42
umbrella, 18
14
er, 14
36
de lamp, 37
de rug, 36
de table, 36
roast, 50
11
34
, 25
e, 31
er, 28
ulars, 17
ouse, 9
day cake, 53
bird, 6
board, 29
et, 36
game, 31
egg, 50
er, 36
, 28
case, 39
s, 35
e, 41
tie, 34
48
shorts, 33
h, 13
l, 49
basket, 41
e, 24
n, 46
et, 19, 46

buffet, 41
building blocks, 30
bull, 10
bus, 25
bus stop, 25
bush, 12
butter, 49
butterfly, 7
buttons, 47

C
cabbage, 57
cable-car, 16
cake tin, 45
calculator, 29
calf, 10
can, 51
candies, 52
camera, 23
camper, 23
can-opener, 45
cap, 34
car, 22
carafe, 41
caravan, 23
cardigan, 33
carpet, 38
carrot, 56
cart, 8, 41
cassette player, 27
cat, 11
caterpillar, 7
cauliflower, 57
CD player, 27
cello, 27
cereal, 49
chain saw, 13
chair, 40
chalet, 16
chalk, 29
cheese, 51
cherries, 55
chestnut, 13
chewing gum, 53
chick, 11
chimney, 25
chocolate bar, 52
chop, 51
chopping board, 45
clarinet, 27
cloth, 46
clover, 6
coat, 33
coconut, 55
coffee-maker, 48
coffee table, 38
colander, 45
colouring
  pencils, 28
comb, 43
combine
  harvester, 8
compass, 29
cookie, 53
coral, 21
corkscrew, 45
corncob, 9

cow, 10
crab, 21
crane, 25
croissant, 49
cucumber, 57
cup, 48
cupcake, 53
curtains, 39
cushion, 39
cymbals, 27

D
daffodil, 58
daisy, 58
dandelion, 58
deckchair, 18
dinghy, 19
dish, 41
dishwasher, 44
dog, 11
doll, 30
doll's tea set, 31
dolphin, 20
donkey, 10
door, 39
doughnut, 53
dragonfly, 6
drawing, 28
dress, 32
dresser, 36
dressing gown, 37
drum, 27
drums, 27
duck, 11
duckling, 11
dungarees, 33
duster, 46

E
eagle, 17
eggplant, 57
electric guitar, 27
electric razor, 43
electric train, 31
engine, 23
exercise book, 28

F
factory, 24
felt-tip pens, 28
fence, 9
fern, 13
field glasses, 17
field mouse, 7
fig, 55
fir tree, 16
fire truck, 25
fireplace, 39
fish, 51
fishing boat, 19
fishing net, 19
flask, 17
flat-heeled
  shoes, 35
flippers, 19
floormat, 46

flower bed, 58
flowerpot, 58
flute, 27
foal, 10
fork, 40
fountain pen, 28
fox, 14
freighter, 23
French fries, 50
fridge, 44
fruit juice, 49
fruit salad, 53
frying pan, 45

G
garbage can, 45
garden hose, 59
gas pump, 23
geranium, 58
glass, 41
gloves, 34
glue, 29
goat, 10
goose, 11
grapefruit, 55
grapes, 55
grass, 6
grasshopper, 7
green beans, 56
greenhouse, 59
guitar, 27

H
hair brush, 43
hairdryer, 43
hamburger, 51
handbag, 35
hang-glider, 16
hare, 14
harmonica, 27
harp, 27
hat, 34
haystack, 9
hazelnut, 13
hedge, 9
helicopter, 23
hen, 11
holly, 13
honeypot, 49
horse, 10
hot-water bottle, 36
house, 24

I
ice axe, 17
ice cream, 53
iron, 47
ironing board, 47
island, 19

J
jacket, 33
jam jar, 49
jeans, 33
jellyfish, 20
jigsaw puzzle, 31
juicer, 49

K
kebab, 51
ketchup, 51
kettle, 45
kingfisher, 15
knife, 40
knitting needles, 47

L
ladder, 9
ladle, 45
ladybird, 7
lamb, 10
lamp, 39
lawn mower, 59
leaf, 12
leek, 56
lemon, 55
leotard, 26
lettuce, 56
licorice, 53
lilac, 58
lily, 58
lipstick, 43
lobster, 20
lynx, 17

M
magpie, 6
mailbox, 25
maracas, 27
marbles, 31
marmot, 17
marshmallows, 53
marten, 14
mashed potato, 50
mattress, 36
melon, 55
milk, 49
milk shake, 53
mirror, 37
mistletoe, 13
mittens, 34
mixer, 45
mole, 7
mosquito, 6
moss, 13
motorbike, 22
mountain, 16
mountain goat, 17
mushrooms, 13, 56
music stand, 27
mussel, 21

N
nail file, 43
nail polish, 43
napkin, 40
nest, 13
nettle, 13
nightdress, 37

O
ocean liner, 19
octopus, 20
office block, 24
oil and vinegar, 51

onion, 57
orange, 54
otter, 14
oven, 44
owl, 15
oyster, 21

P
palm tree, 18
pancake, 53
parking meter, 25
partridge, 15
passenger car, 23
pavement, 24
peach, 55
pear, 54
peas, 57
pedestrian
  crossing, 24
pencil, 28
pencil case, 28
pencil sharpener, 28
pepper, 57
pepper shaker, 41
perfume, 43
pheasant, 15
piano, 26
picture, 39
picture frame, 37
pie, 53
pig, 10
pillow, 36
pineapple, 55
pitchfork, 9
pizza, 51
plastic bowl, 46
plate, 41
plate rack, 45
playing cards, 31
plough, 8
plum, 55
popcorn, 52
poppy, 58
popsicle, 52
poster, 25
potted plant, 39
potato, 56
pressure cooker, 45
pumpkin, 57
puppet, 31
purse, 35
pyjamas, 37

Q
quiche, 51

R
rabbit, 11
racquet, 31
radiator, 39
radishes, 57
raincoat, 33
rake, 59
raspberries, 55
ray, 20
red currant, 55
remote-controlled

car, 31
rice, 50
road map, 23
road sign, 23
roast chicken, 50
robin, 15
rock, 16
rocking horse, 31
roller skates, 31
rolling pin, 45
rooster, 11
rope, 17
rose, 58
rubber, 28
rubber ring, 19
rucksack, 17
ruler, 28
running shoes, 35

S
sailboat, 19
salt shaker, 41
sandcastle, 19
sandals, 35
sandwich, 51
saucepan, 45
saucer, 48
sausage, 50
saw, 13
scallop, 21
scarecrow, 9
scarf, 34
schoolbag, 28
scissors, 29
score, 27
scythe, 9
sea urchin, 20
seagull, 21
seahorse, 20
seaweed, 19
set square, 29
sewing machine, 47
sewing needles, 47
shampoo, 42
shark, 20
sheep, 10
sheet, 36
sheet of paper, 28
shelf, 36
shirt, 33
shoes, 35
shop, 24
shorts, 33
shower, 42
shrimp, 20
shutters, 39
sink, 42, 45
skipping rope, 31
skirt, 33
skis, 16
sledge, 16
sleeping bag, 17
slice of bread, 49
slice of ham, 50
slippers, 37
snail, 6
snake, 15

snippers, 59
snowman, 16
soap, 42
socks, 33
sofa, 38
spade, 19, 59
spaghetti, 50
speedboat, 19
spinach, 57
spinning top, 31
sponge, 46
spool of thread, 47
spoon, 40
squirrel, 15
stag, 14
stairs, 39
starfish, 21
steak, 50
stepladder, 47
stereo, 39
stool, 45
stove, 44
street lamp, 25
streetcar, 25
stump, 12
sugar bowl, 49
suitcase, 23
sunflower, 58
sunglasses, 18
surfboard, 19
suspenders, 34
swallow, 6
swan, 11
sweater, 32
swim mask, 19
swordfish, 20

T
T-shirt, 33
table, 40
tablecloth, 40
tangerine, 55
tape measure, 47
taxi, 25
tea bag, 48
teapot, 48
teddy bear, 31
telephone, 39
telephone booth, 25
television aerial, 25
television set, 39
tennis ball, 31
tent, 17
thimble, 47
thistle, 6
tie, 34
tights, 33
toad, 7
toaster, 48
toffee apple, 53
toilet, 41
toiletries bag, 43
tomato, 56
toothbrush, 43
toothpaste, 43
toque, 34

tortoise, 7
tracksuit, 33
tractor, 8
traffic lights, 24
trailer, 23
train, 23
travelling bag, 23
tray, 49
tree, 12
triangle, 27
tricycle, 30
trough, 9
trousers, 32
truck, 22, 25
tulip, 58
tureen, 41
turkey, 11
turtle, 7

U
umbrella, 35
underpants, 33

V
vacuum cleaner, 46
vase, 39
vest, 33
video camera, 23
violin, 26

W
waffle, 53
walnut, 13
wardrobe, 36
washing machine, 46
washing powder, 46
wasp, 6
wastepaper
  basket, 39
waterfall, 16
watering can, 59
weasel, 14
well, 9
whale, 20
wheat, 9
wheelbarrow, 59
wild boar, 14
window, 39
windsurf board, 19
wolf, 14
woodpecker, 14
worm, 6

X
xylophone, 27

Y
yogurt, 53